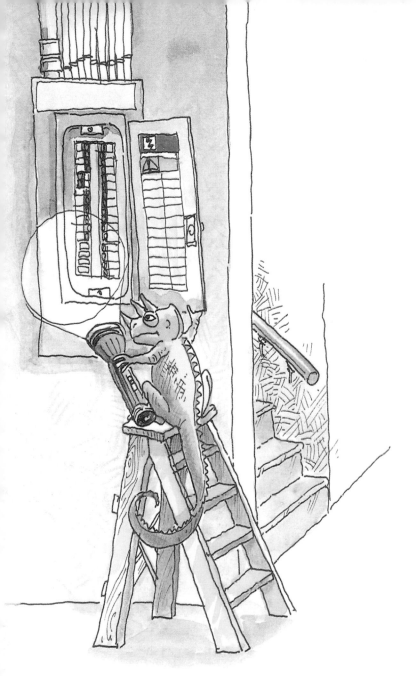

신기한 스쿨 버스

전깃줄 속으로 들어가다

신기한 스쿨 버스

The Magic School Bus® - and the Electric Field Trip

전깃줄 속으로 들어가다

조애너 콜 글 · 브루스 디건 그림 / 이연수 옮김

비룡소

이 책을 준비하는 데 도움을 주신 코네티컷 주 뉴헤이번의 예일대학교 전기공학과 학장이며, 전기공학과 응용물리학 교수님이신 마크 리드 박사님께 감사드립니다.
밀스톤 정보과학센터의 팀장이신 로버트 본 악슨 씨, 「신기한 스쿨 버스」 TV 시리즈 과학 고문이신 마이클 템플턴 씨께 감사드립니다.

콜은 '교류 전류'에 대해서 친절하게 설명해 준 브루스 리드아웃 씨, '전동기'에 대해 설명해 준 빈 리커시 씨께 감사드립니다.
또 열의가 넘치고 통찰력이 뛰어난 스테파니 칼멘슨 씨께도 큰 감사를 드립니다.
12쪽에서 꼬마 발전소 실험을 하면서 전류가 잘 생기지 않아 고생한 스칼라스틱 편집자인 로런 톰프슨 씨께 감사드립니다.
또 꼬마 발전소 만드는 법을 가르쳐 준 마이클 템플턴 씨께도 감사드립니다.
디건은 코네티컷 주 발전소에서 전기에 대한 모든 것을 가르쳐 준 빌 스택스, 체릴 유이, 샤를리에 샤핀, 레이 플루, 그리고 태시 브리트 씨께 감사드립니다.

신기한 스쿨 버스
전깃줄 속으로 들어가다

1판 1쇄 펴냄—2000년 2월 22일. 1판 15쇄 펴냄—2004년 1월 6일
글쓴이 조애너 콜 그린이 브루스 디건 옮긴이 이연수 펴낸이 박상희
펴낸곳 (주)비룡소 출판등록 1994. 3. 17.(제16-849호)
주소 135-887 서울시 강남구 신사동 506 강남출판문화센터 4층
전화 영업(통신판매) 515-2000(내선 1) 팩스 515-2007 편집 3443-4318~9 홈페이지 www.bir.co.kr

The Magic School Bus: and the Electric Field Trip
by Joanna Cole and illustrated by Bruce Degen
Text Copyright ⓒ 1997 by Joanna Cole
Illustrations Copyright ⓒ 1997 by Bruce Degen
All rights reserved and/or logos are trademarks and registered trademarks of Scholastic, Inc.
Korean Translation Copyright ⓒ 2000 BIR Publishing Co., Ltd..
Korean translation edition is published by arrangement with
Scholastic Inc., 555 Broadway, New York, NY 10012, USA through KCC.
Scholastic, THE MAGIC SCHOOL BUS, 신기한 스쿨 버스
and/or logos are trademarks and registered trademarks of Scholastic, Inc.

값 7,500원
ISBN 89-491-3054-8 74400
ISBN 89-491-3045-9 (세트)

막강한 힘을 가진 레이첼에게

— 조애너 콜

트레버와 가레트,

그리고 로즈라는 이름을 가진 모든 사람들과

특히, 전기 회사를 소개해 준 매트에게

— 브루스 디건

그런데, 프리즐 선생님께서 이따금 창 밖을 내다보시며 중얼거리시는 거예요.
"곧 올 텐데……." 우리는 교실 안에서 전기를 사용하는 물건들에 대해
칠판에 쭉 적고 있다가 궁금해서 여쭤 보았죠. "선생님, 대체 누가 온다는 거예요?"

전기를 사용하는 물건들

전구
컴퓨터
학교 종
선풍기
시계
카세트
텔레비전
비디오

막강한 힘을
가진 전기에
대해서……

프리즐 선생님 같은
분이 또 있을까?

당연히 없지.

옷만 봐도 알잖아.

현명하게!
안전하게!

전기는 우리한테 쓸모가
많지만 위험할 수도 있어요.

전기 때문에 다칠 수도 있고,
심하면 죽을 수도 있죠.

전기가 흐르는 곳이나 물건
주위에서는 꼭 조심하세요!

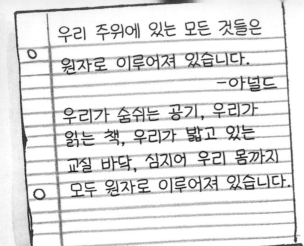

우리 주위에 있는 모든 것들은
원자로 이루어져 있습니다.
— 아널드

우리가 숨쉬는 공기, 우리가
읽는 책, 우리가 밟고 있는
교실 바닥, 심지어 우리 몸까지
모두 원자로 이루어져 있습니다.

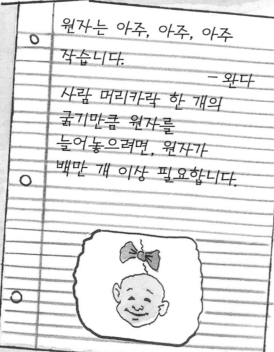

원자는 아주, 아주, 아주
작습니다.
— 완다
사람 머리카락 한 개의
굵기만큼 원자를
늘어놓으려면, 원자가
백만 개 이상 필요합니다.

바로 그 때, 머리가 붉은색인 아이가 재주를 넘으며 교실로 들어왔어요.
"발레리 고모, 안녕하세요." 그러자 선생님께서 말씀하셨어요.
"내 조카 도티가 우리 반에 구경왔어요. 도티, 지금은 전기를 공부 중이야."
도티는 과학에 무척 관심이 있는 것 같았어요. 꼭 프리즐 선생님처럼요.

와! 난 전기가
진짜진짜 좋아!

전기에 대해 알려면 먼저
원자에 대해 배워야 해.

와! 난 원자도
진짜진짜 좋아!

프리즐 선생님께서 지시봉을 꺼내시며 말씀하셨어요.
"여러분, 전기에 대해 이해하려면 원자에 대해 먼저 알아야 해요.
자, 여기 아주 큰 원자 모형이 있어요. 이 원자 모형에서
바깥 부분을 돌고 있는 작은 깃을 전자라고 해요."

창 밖으로 보이는 하늘이 점점 어두워지더니 큰 빗방울이 "뚝뚝" 떨어지기 시작했어요. 프리슬 선생님께서 전깃줄 다발을 가져오시더니 말씀하셨죠. "내가 비닐 껍데기를 벗겨서 전깃줄 속에 있는 구리선을 보여 줄게요."

전자는 금속으로 된 선을 통해서 이동해요. 비닐 껍데기는 전자가 전깃줄 밖으로 달아나지 못하게 해 주고, 사람이 감전되지 않게 해 줘요.

아! 그러니까 이건 전자들이 다니는 고속도로군요.

전류가 잘 통하는 물질

－카를로스

어떤 물질에서는 전류가 잘 통합니다. 왜 그럴까요? 전류가 잘 통하는 물질에 있는 전자는 원자에 힐겁게 묶여 있습니다.
따라서 전자가 원자와 원자 사이를 쉽게 이동할 수 있기 때문에 전류가 잘 통합니다.

전류가 잘 통하는 물질:
금속, 산성, 물

전류가 잘 통하지 않는 물질

또 어떤 물질에 있는 전자는 원자에 단단하게 묶여 있습니다. 따라서 전자가 쉽게 이동할 수 없습니다.
이런 물질에서는 전류가 잘 통하지 않습니다.

전류가 잘 통하지 않는 물질:
플라스틱, 고무, 나무, 유리, 공기

꼬마 발전소 만들기
— 랠프

• 뭘 준비해야 하죠?
-- 가는 구리선 1.8미터
-- 막대 자석
-- 전류계
• 어떻게 만들죠?
-- 구리선을 400번 정도 감아 코일을 만듭니다.
-- 구리선 양 끝을 전류계에 연결합니다.
-- 코일 속으로 막대 자석을 넣었다 뺐다 합니다.

전류계
막대 자석
구리선

• 어떤 일이 일어났죠?
-- 전류계의 바늘이 움직입니다.
• 어떻게 이런 일이 일어나나요?
-- 막대 자석을 움직이면 구리선에 전류가 흐릅니다.
-- 전류가 흐르면 전류계의 바늘이 움직입니다.

전기와 자기는 특별한 사이래요.

자기장으로 전기를 만들 수 있거든요.

프리즐 선생님께서 전류를 만드는 방법을 가르쳐 주셨어요.
전깃줄 가까이에 자석을 대고 움직여 보라고요.
자석을 움직였더니 전류가 생겼어요. 우리가 꼬마 발전소를 만든 거죠.
그런데, 꼬마 발전소에서 나오는 전류는 약해서 전류계의 바늘이 조금만 움직일 뿐이었어요. 하지만 실제 발전소에서는 우리 도시 전체가 쓸 만큼 많은 전기를 만들어 낼 수 있답니다.

그냥 전깃줄 가까이에 자석을 대고 움직이기만 하면 전류가 생긴다고요?

그래, 랠프. 하지만 전깃줄에서 회로가 끊어지면 안 돼. 회로는 전기가 흐르는 길이란다.

아, 정말 회로가 끊어지면 바늘이 움직이지 않네요.

문제 : 번개는 무엇일까요?

정답 : 번개는 전기입니다.

— 피비

폭풍우가 칠 때에 남아 도는
전자들이 작은 물방울이나
얼음 조각에 달라붙습니다.
전자가 충분히 모이면
이 전자들은 갑자기 흐릅니다.
이것이 번개입니다.

천둥이 칠 때 꼭꼭 지키세요.

번쩍번쩍 번개 치는 폭풍우에서는,

– 야외에 있는 것은 위험합니다.
  집이나 차나 버스 안으로
  들어가세요.
– 전화를 사용하지 마세요.
– 전기 기구를 사용하지 마세요.
– 물 가까이에 가지 마세요.

우리는 정전이 일어난 이유를 알아 내기 위해
고물 스쿨 버스를 탔습니다.
곧 우리는 정전이 일어난 이유를 알 수 있었죠.
글쎄, 나무가 번개에 맞아 쓰러지면서 송전선을 끊었던 거예요.
여기저기서 불꽃이 마구 튀고 있었습니다.

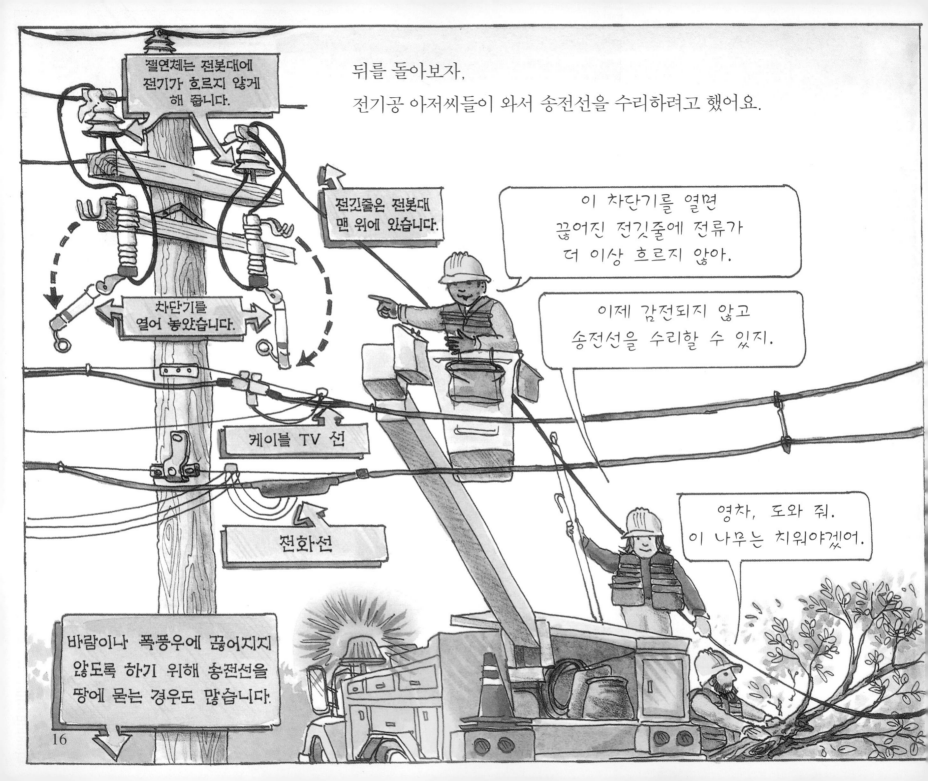

바로 앞에는 도시에 전기를 공급하는 발전소가 있었어요.
발전소는 건물 여러 개가 모여 있어서 마치 작은 도시 같았죠.
선생님께서 저 건물들 안에는 전기를 만드는 장치가 있다고
말씀해 주셨어요. 그러자 도티가 기다렸다는 듯이 발전소를 보러
가자고 말했죠. 프리즐 선생님께서 소리치셨어요.
"도티, 너무 좋은 생각이구나! 자 여러분, 꽉 잡아요!"

어른이 되면 난
발레리 고모처럼
되고 싶어.

걱정 마. 벌써 넌
프리즐 선생님과
똑같아.

끊어진 송전선을 고치는 법

① 차단기가 모두 열려 있는지 확인한 후
일을 시작합니다.

② 끊어진 송전선 양쪽을
잡아당깁니다.

밧줄과 도르래

③ 송전선을 스플라이서로 연결합니다.

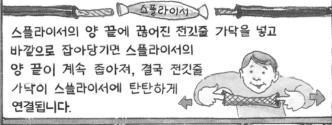

스플라이서의 양 끝에 끊어진 전깃줄 가닥을 넣고
바깥으로 잡아당기면 스플라이서의
양 끝이 계속 좁아져, 결국 전깃줄
가닥이 스플라이서에 탄탄하게
연결됩니다.

④ 송전선을 제자리에 놓습니다.

⑤ 차단기를 다시
닫습니다.

⑥ 그럼 다 끝났습니다!
이제 다음 일을
하러 출발~

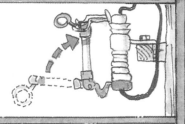

발전소는 굉장해!
— 존

발전소는 대부분 열을 이용해 전기를 만들어 냅니다.
그 열은 석탄, 석유, 천연 가스 같은 연료를 태워 만듭니다.

석탄 석유 천연 가스

좋은 점
연료를 태우면 전기를 많이 만들어 낼 수 있습니다.

나쁜 점
연료를 태울수록 공해는 심해집니다.

핵 반응을 이용해 열을 얻어 내는 원자력 발전소도 있습니다.

좋은 점
원자력 발전소는 공해 없이 전기를 많이 만들어 낼 수 있습니다.

나쁜 점
원자력 발전소는 핵 폐기물을 만들어 냅니다.

발전소에 도착하자,
프리즐 선생님께서 우리한테 방화복을 주시며 말씀하셨어요.
"연료 공급 과정부터 견학하도록 해요."
말씀이 끝나기가 무섭게 선생님께선 버스 계기반에 있는 작은 단추를 누르셨죠. 그러자 고물 버스는 화물 트럭으로 변했습니다.
선생님께서 외치셨어요. "배달 왔어요!"

으악, 갑자기 트럭의 화물칸이 기울어지더니,
우리는 석탄 저장함 쪽으로 굴러 들어갔습니다.
석탄 저장함에 도착하자마자 우리는 곧장 불이 활활 타는
화로 안으로 미끄러져 들어갔어요.
프리즐 선생님께서 말씀하셨어요.
"석탄을 태워 만든 이 열이 무엇에 쓰이는지 보세요."

굉장히 큰 화로야!

누구 바비큐 해 먹을
소시지 가져온 사람?

공해 없이 전기를 만드는 방법

— 몰리

발전소 중에는 연료를
태우지 않고 전기를 만들어 내는
곳이 있습니다.

태양열 발전소는
태양 에너지를
이용합니다.

지열 발전소는
땅 속에 있는 열을
이용합니다.

수력 발전소는
떨어질 때 생기는
물의 에너지를 이용합니다.

풍력 발전소는
바람의 에너지를
이용합니다.

조력 발전소는
밀물과 썰물의 차이를
이용합니다.

나쁜 점
아직까지 이런 방법으로 우리가
필요한 전력을 다 얻을 수는 없습니다.

좋은 점
앞으로 공해 없이 전기를 만드는
더 좋은 방법들을 개발할 수
있습니다.

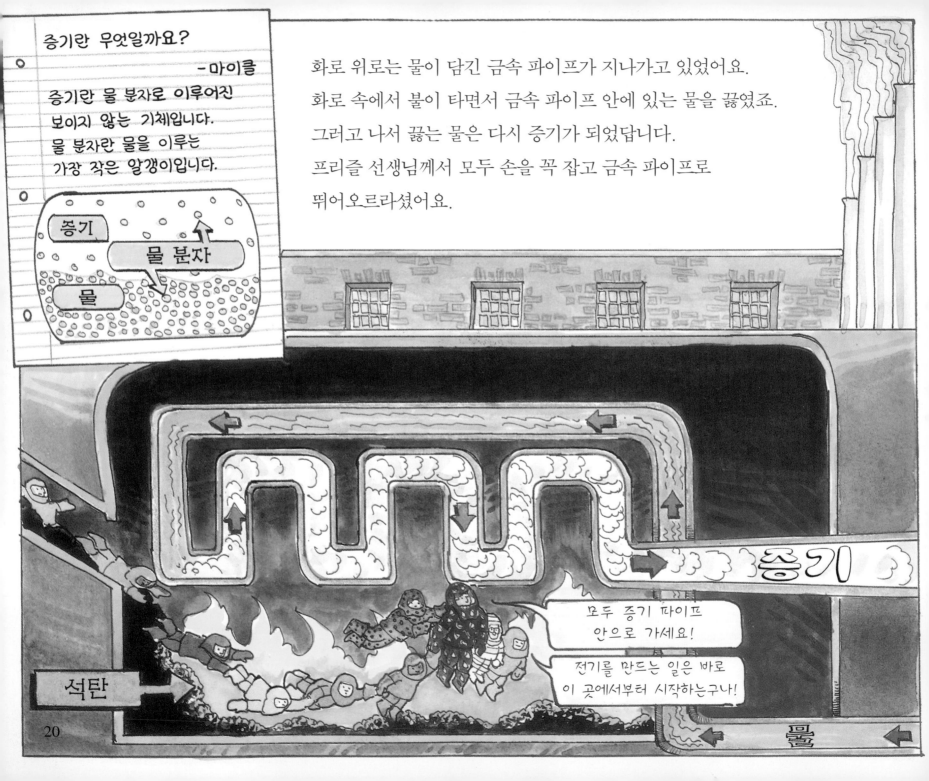

눈 깜짝할 사이에 우리 모두는 증기 파이프 안으로 들어갔어요.
증기는 아주 빨리 움직이고 있었죠. 덩달아 우리도 아주 빨리 움직였답니다.
선생님께서 이제 이 증기가 무엇에 쓰이는지 보러 간다고 말씀하셨어요.
우리는 금속 파이프 안을 흐르는 증기를 따라 화로 옆 방으로 갔습니다.

증기는 일을 할 수 있습니다.
—셜리
뚜껑이 닫혀 있을 때 물이 끓으면 증기가 생겨 뚜껑을 밀어 냅니다.
우리는 뚜껑을 밀어 내는 힘을 다른 일을 하는 데 사용할 수 있습니다.

이 냄비 속 증기는 "밀어 내는" 힘을 갖고 있단다.

예, 정말 뚜껑을 밀어 올리고 있어요.

와! 증기로 꽉 찼네!

여러분, 이 증기는 아주 압력이 높아요.

난 압력을 받고 편안한 적이 없었어.

증기 파이프

보일러 ↑

터빈 ↑

발전기 ↑

우리가 지금 와 있는 곳

21

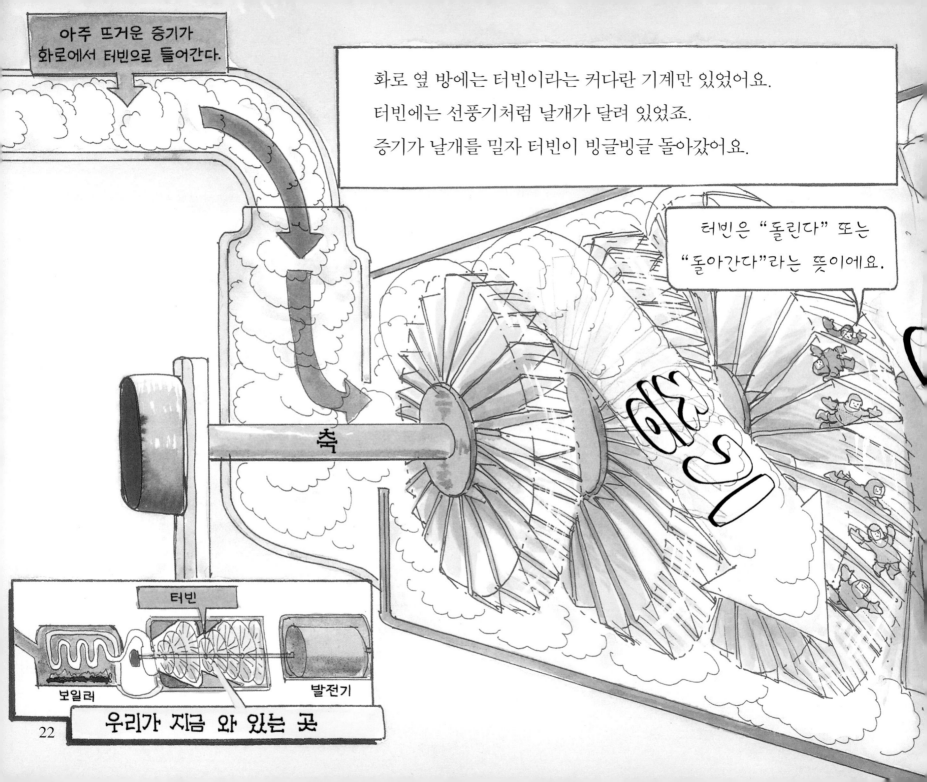

아주 뜨거운 증기가
화로에서 터빈으로 들어간다.

화로 옆 방에는 터빈이라는 커다란 기계만 있었어요.
터빈에는 선풍기처럼 날개가 달려 있었죠.
증기가 날개를 밀자 터빈이 빙글빙글 돌아갔어요.

터빈은 "돌린다" 또는
"돌아간다"라는 뜻이에요.

축

보일러   터빈   발전기

우리가 지금 와 있는 곳

22

터빈이 돌자 금속으로 된 축도 돌았어요.

우리는 축을 따라 빙글빙글 돌다가 또 그 옆 방으로 들어갔죠.

프리즐 선생님께서 말씀하셨어요.

"자, 왜 빙글빙글 돌리는지 보러 가요"

우리는 너무 어지러워서 대답조차 할 수 없었답니다.

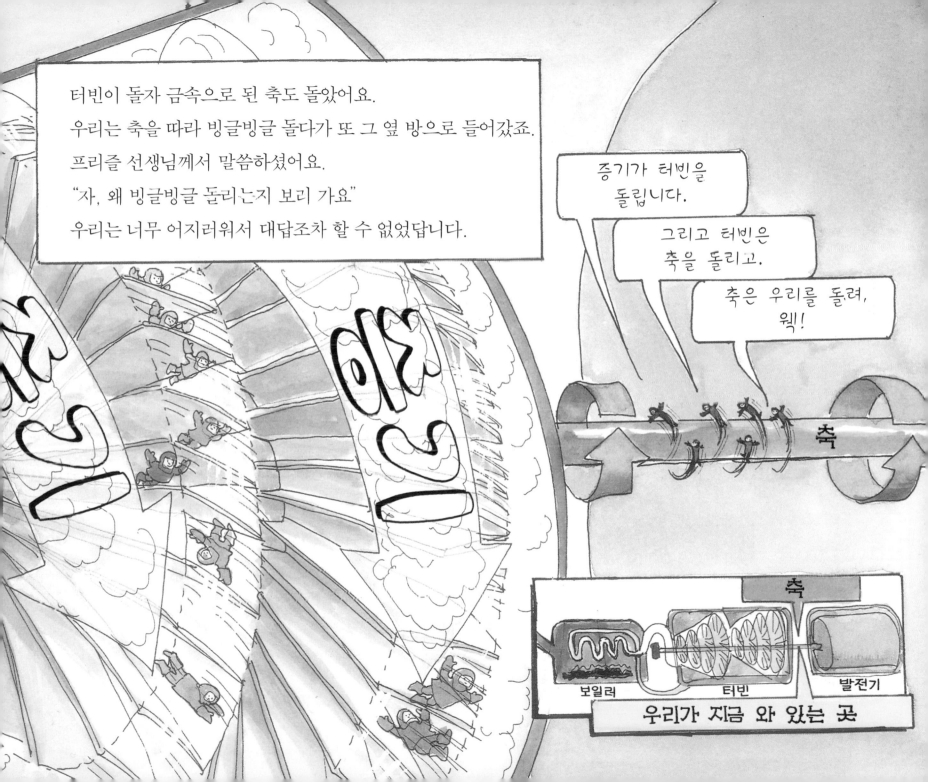

증기가 터빈을 돌립니다.

그리고 터빈은 축을 돌리고.

축은 우리를 돌려, 웩!

축

보일러　　터빈　　발전기

우리가 지금 와 있는 곳

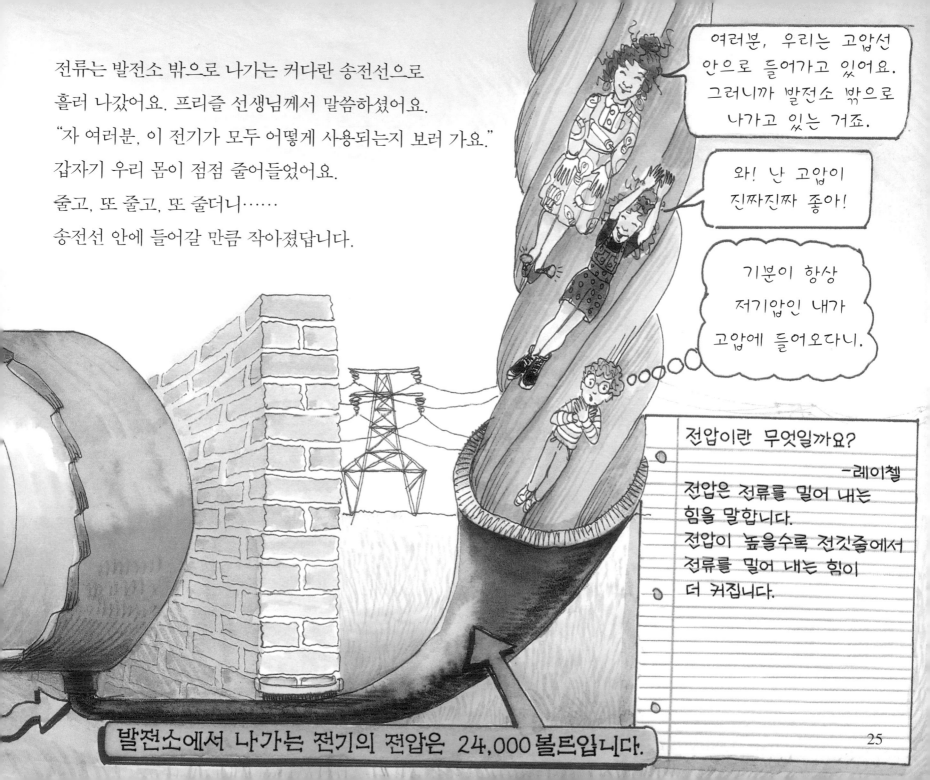

전류는 발전소 밖으로 나가는 커다란 송전선으로
흘러 나갔어요. 프리즐 선생님께서 말씀하셨어요.
"자 여러분, 이 전기가 모두 어떻게 사용되는지 보러 가요."
갑자기 우리 몸이 점점 줄어들었어요.
줄고, 또 줄고, 또 줄더니……
송전선 안에 들어갈 만큼 작아졌답니다.

여러분, 우리는 고압선
안으로 들어가고 있어요.
그러니까 발전소 밖으로
나가고 있는 거죠.

와! 난 고압이
진짜진짜 좋아!

기분이 항상
저기압인 내가
고압에 들어오다니.

전압이란 무엇일까요?

—레이첼

전압은 전류를 밀어 내는
힘을 말합니다.
전압이 높을수록 전깃줄에서
전류를 밀어 내는 힘이
더 커집니다.

발전소에서 나가는 전기의 전압은 24,000볼트입니다.

25

가는 길에 우리는 변전소에 잠깐 들렀어요. 변전소는 전압을 높거나 낮게 만들어 줘요. 전압이 높아지면 전류가 더 멀리까지 갈 수 있어요. 그러나 공장이나 큰 건물에서는 다시 전압을 낮춰 씁니다. 작은 건물이나 가정 집에서는 이보다 더 전압을 낮춰 써요. 누군가 물었어요. "지금 어디 가는 거예요?" 프리즐 선생님께서 태연하게 말씀하셨죠. "우리는 지금 백열 전구로 가고 있어요."

왜 선생님께서 우리를 백열 전구로 데려가시는 거지?

형광등으로는 가기 싫으신가 봐.

그지?

전깃줄에서 전자는 한 방향으로만 흐를까요?
    ―아널드
아닙니다.
전깃줄에 흐르는 전류는 1초에 수천 번 방향을 바꿉니다.
이런 전기를 방향을 바꾸는 전류라는 뜻에서 "교류 전류"라고 합니다.

과학 낱말 공부 하나 더
    ―도로시 앤
변전은 "전압을 바꾼다"는 뜻입니다.
변전소에서는 낮은 전압을 높게, 또는 높은 전압을 낮게 바꿔 줍니다.

13,800볼트까지 내려 줍니다.

110볼트 또는 220 볼트로 내려 줍니다.

변전소에서는 공장이나 큰 건물에서 쓸 수 있도록 전압을 내려 줍니다.

변전기는 가정에서 쓸 수 있도록 전압을 더 내려 줍니다.

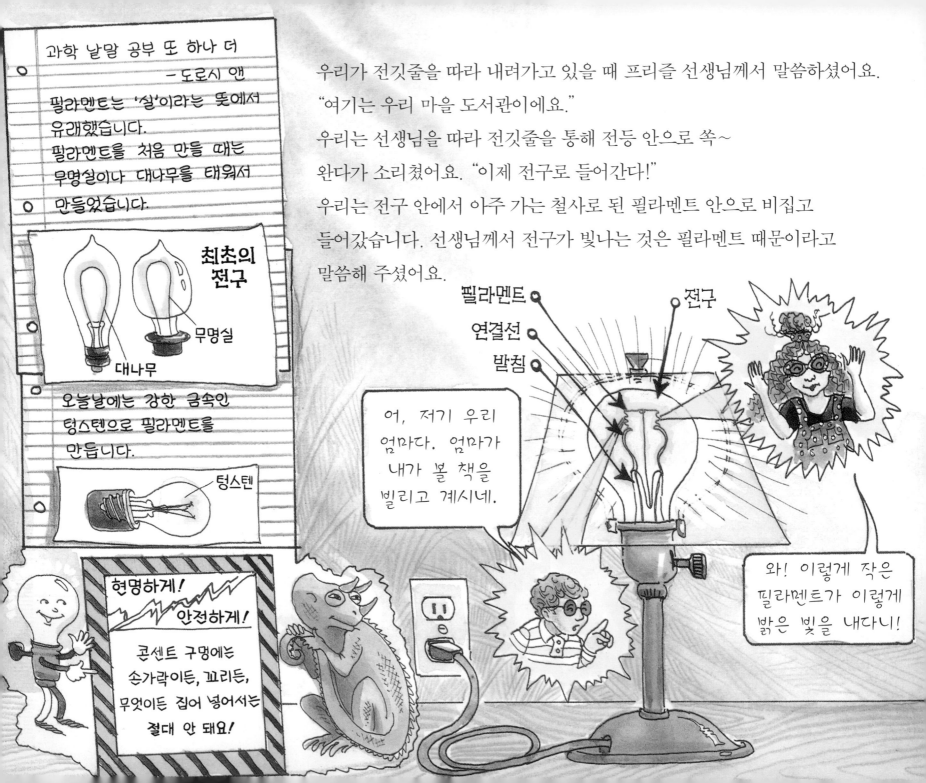

과학 낱말 공부 또 하나 더
— 도로시 앤

필라멘트는 '실'이라는 뜻에서
유래했습니다.
필라멘트를 처음 만들 때는
무명실이나 대나무를 태워서
만들었습니다.

최초의 전구

무명실
대나무

오늘날에는 강한 금속인
텅스텐으로 필라멘트를
만듭니다.

텅스텐

현명하게!
안전하게!
콘센트 구멍에는
손가락이든, 꼬리든,
무엇이든 집어 넣어서는
절대 안 돼요!

우리가 전깃줄을 따라 내려가고 있을 때 프리즐 선생님께서 말씀하셨어요.
"여기는 우리 마을 도서관이에요."
우리는 선생님을 따라 전깃줄을 통해 전등 안으로 쏙~
완다가 소리쳤어요. "이제 전구로 들어간다!"
우리는 전구 안에서 아주 가는 철사로 된 필라멘트 안으로 비집고
들어갔습니다. 선생님께서 전구가 빛나는 것은 필라멘트 때문이라고
말씀해 주셨어요.

필라멘트
연결선
받침
전구

어, 저기 우리
엄마다. 엄마가
내가 볼 책을
빌리고 계시네.

와! 이렇게 작은
필라멘트가 이렇게
밝은 빛을 내다니!

가느다란 필라멘트 속으로 전자 수억 개가 동시에 들어갔어요.

그러자 필라멘트에서 밝은 하얀 빛이 나왔죠.

무언가 하얗게 달아오르며 뜨거워지자 빛이 났어요.

우리는 모두 선글라스를 써 보지도 못하고 전구 안을 들어갔다 나왔답니다.

그리고 나서 우리는 도서관에서 나왔어요.

책 한 권도 빌리지 못하고요!

으악! 퀴긴 씨, 저 전등이
방금 말을 했어요!

놀라지 마세요.
별 말 아니겠죠.

도서 목록

빌려 준 책

집에서 아무렇게나
식물 키우는 법

금붕어를 무서워하지
않고 기르는 법

우표 수집을 두려워하지 마라

마루에 칠하는 왁스는
이로울까, 해로울까?

사서
퀴긴

전열선은 전구의 필라멘트와 같은 거예요. 빛과 열을 낸답니다.

하지만 전열선은 빛보다는 열을 더 많이 내죠.

우리는 또다시 전깃줄을 타고 길을 따라 내려가 조 아저씨 식당으로 들어갔어요.
식당 안에서 우리는 토스터 속으로 들어갔죠.
프리즐 선생님께서 말씀하셨어요.
"이제 전기가 어떻게 열을 내는지 볼 거예요. 자, 나를 따라 오세요!"
우리가 들어간 곳은 특수한 철사로 만든 코일인 전열선이었어요. 전기가 철사
안으로 흘러들어가자 철사는 붉게
빛나며 뜨거워졌답니다.

휴, 오늘 무지 덥네요.

무지 덥다고? 부엌에 한번 들어와 봐.

무지 덥다고요? 토스터 안에 한번 들어와 보세요.

소문난 맛집 조 식당

차림표

소문난 맛집 조 식당 차림표

소문난 맛집 조 식당 차림표

주방장 조

토스터 전열선은 빵을 굽고 있었어요. 갑자기 배에서 꼬르륵, 꼬르륵……

그제서야 우린 점심 시간이 되었다는 걸 알았답니다.

프리즐 선생님께선 배가 고프지 않으신지 견학을 계속 하셨죠.

우린 다시 송전선 안으로 들어갔어요. 선생님께서 돌아보시며 말씀하셨어요.

"이제 누군가 사는 집에 가 볼 기예요."

피비가 중얼거렸어요. "누구 집일까?"

구운 참치 샌드위치 하나요!

참치 샌드위치 추가요!

아, 너무 늦었어. 그냥 가야겠군.

패스트푸드가 우리보다 느리다니!

전기 기구에서 열이 나는 것은 그 안에 전열선이 있기 때문입니다.

자석의 극은 어떻게 작용할까요?

－완다

모든 자석에는 극이 두 개 있습니다. 남극과 북극입니다.

같은 극끼리는 서로 밀어 냅니다.

다른 극끼리는 서로 잡아당깁니다.

우리가 간 집은 피비네 집이었어요!

피비의 할머니가 전기톱으로 피비가 쓸 책장을 만들고 계셨죠.

프리즐 선생님께서 말씀하셨어요.

"여러분, 너무 잘 됐어요. 우린 전동기가 어떻게 톱을 움직이는지 볼 수 있게 됐어요. 음…… 전동기 안에는 자석이 있답니다."

피비가 이걸 마음에 들어하면 좋겠는데.

피비, 너희 집이야.

예전에 다니던 학교에선 수업하다가 집에 오는 일은 없었어.

프리즐 선생님께서 물어보셨어요.
"자석으로 어떻게 전류를 만들었는지 기억나죠? 그런데 그것과
반대 작용도 있을 수 있어요. 전류가 흐르는 금속 조각이 자석으로
변할 수 있거든요. 이런 자석을 전자석이라고 해요.
이 전자석이 전동기를 돌리는 거죠."

전자석 만드는 법
－팀

구리선 코일을 철이나
강철 주위에 감습니다.
이 코일에 전류를 흘려 보내면
철이나 강철은 자석이 됩니다.

전류가 흐릅니다.

철이나 강철이 자석이 되어
클립을 끌어당깁니다.

전류가 흐르지
않습니다.

철이나 강철이 클립을 끌어당기지 않습니다.

전류가 흐르지 않으면 자력도
없어집니다.

전기 기구가 움직인다면……
그 전기 기구 안에는 반드시 전동기가 달려 있어요.

프리즐 선생님께서 말씀하셨어요. "이제 전동기 여행을 시작할 거예요."
우리는 전깃줄을 타고 달려가 전동기 안으로 쏙~
전동기 안에서는 모든 것이 빙빙 돌고 흔들리고 있었어요.

전동기는 어떻게 움직일까요?

전동기 안에 있는 전자석이 "회전자" 라는 움직이는 부분을 돌립니다.

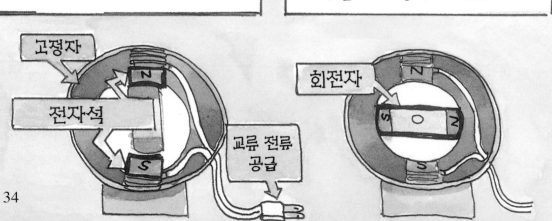

전동기는 움직이는 기계야.

이렇게 많이 움직이는 건 진짜진짜 좋아.

1. 전자석은 고정자라는 움직이지 않는 부분에 고정되어 있습니다.	2. 또 다른 자석이 회전자라는 움직이는 부분에 고정되어 있습니다.	3. 고정자에 달린 전자석의 북극이 회전자에 달린 자석의 남극을 끌어당깁니다. 이 때 회전자가 돌게 됩니다.

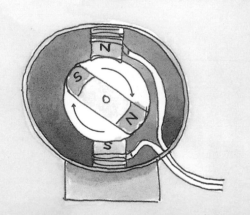

고정자
전자석
N
S
교류 전류 공급

회전자
S
N

N
S
S
N

회전자라는 원통이 굉장히 빨리 돌아가고 있었습니다.

회전자는 축에 고정되어 있었고, 그 축은 톱날에 고정되어 있었죠.

회전자가 빙빙 돌아가자 톱날이 돌아가면서

나무를 잘랐답니다.

고정자

회전자

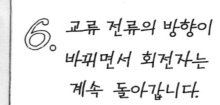

톱날

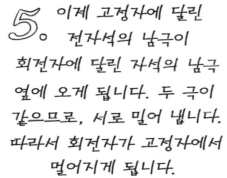

4. 이 때 구리선 코일에 흐르던 교류 전류가 방향을 바꿉니다. 그러면 고정자에 달린 전자석의 북극이 남극으로 바뀝니다.

5. 이제 고정자에 달린 전자석의 남극이 회전자에 달린 자석의 남극 옆에 오게 됩니다. 두 극이 같으므로, 서로 밀어 냅니다. 따라서 회전자가 고정자에서 멀어지게 됩니다.

6. 교류 전류의 방향이 바뀌면서 회전자는 계속 돌아갑니다.

이 그림들은 너무 어려워.

난 나중에 공부할래.

한숨 잔 후에!

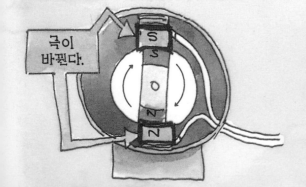

극이 바뀐다.

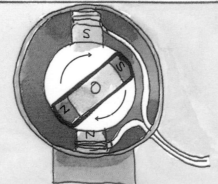

극이 다시 바뀐다.

우리가 전동기 안에 있는 동안 피비의 할머니는 계속 톱질을 하고 계셨죠.
그 때 고양이가 새장으로 살금살금 다가가고 있었어요.
앵무새가 소리쳤어요. "조심해!"
하지만 너무 늦었죠. 새장이 떨어지면서 새 모이와 더러운
것들이 카펫에 떨어지고 말았어요. 피비의 할아버지가 카펫을
청소하기 위해 진공 청소기를 가지고 오셨답니다.

입에서 생선 냄새가 나는 녀석이 또 일을 저질렀대요!

그렇잖아도 청소할 때가 됐어.

먼지 먹는 괴물

프리슬 선생님께서 외치셨어요. "자, 이쪽으로, 이것을 봐야 해요."
선생님은 전기톱에서 나와 콘센트로 들어가서 벽에 있는 전깃줄을 따라갔어요.
그리고 다른 콘센트로 나와 진공 청소기에 연결된 전깃줄 속으로 쏙~

진공 청소기 안에 있는 전동기는 전기톱 안에 있는
전동기와 똑같은 거예요.

다른 점이라면 톱날을 돌리는 대신
송풍기를 돌린다는 거죠.

아하, 송풍기가 공기를 청소기 안으로 빨아들이는군요.

공기가 빨려 들어가면서 먼지도
함께 빨려 들어가는구나.

으악, 난 먼지가 아니야.

공기를 밖으로 뿜어 낸다.

주머니

먼지

공기와 먼지

송풍기

솔

전동기

축

공기와 먼지

37

스위치는 어떻게 작동할까요?
— 알렉스

전기 기구 안에는 전깃줄 두 개가 접촉자라는 금속 조각 두 개에 각각 연결되어 있습니다.

스위치를 켰을 때 — 접촉자가 서로 닿아 있음
스위치를 껐을 때 — 틈이 생겼음

스위치를 켰을 때
스위치를 켜면 스위치가 접촉자 두 개를 서로 닿도록 끌어당깁니다. 접촉자는 전깃줄 사이에서 다리 구실을 합니다. 전자는 이 다리를 통해 흘러 전기 기구를 작동시킵니다.

스위치를 껐을 때
스위치를 끄면 스위치가 접촉자를 서로 떼어 놓습니다. 그러면 틈이 생겨 전자는 더 이상 흐를 수 없습니다. 따라서 전기 기구는 더 이상 움직이지 않습니다.

우리가 청소기 안을 실컷 보고 막 떠나려고 했을 때 피비의 할아버지께서 청소를 끝내고 스위치를 끄셨어요. 그러자 전기가 다니는 길에 틈이 생겨 전자들이 지나갈 수 없게 됐죠. 전기가 흐르지 않자 전동기도 멈춰 버렸어요.

우리는 힘껏 할아버지를 불렀어요.

하지만 할아버지께서 들으실 리가 있나요. 피비는 걱정을 했어요.

왜냐 하면 수업을 마친 후에 태권도 반에 가야 하거든요.

다른 아이들은 축구 시합을 하기로 했었죠. 하지만 어쩌겠어요.

진공 청소기 스위치 안에서 꼼짝없이 갇혔으니 말이에요!

할아버지! 살려 주세요!

안 들려. 지금 텔레비전 보고 계시잖아.

정말 교육적인 프로를 보고 계시네.

먼지 먹는 **괴물**

텔레비전은 어떻게 작동할까요? — 키샤

1. 방송국에서 텔레비전 신호를 보냅니다.

2. 텔레비전 신호는 집의 안테나 케이블에 아주 작은 전류를 일으킵니다.

3. 이 작은 전류는 텔레비전 수상기에 있는 전자총을 조정합니다.

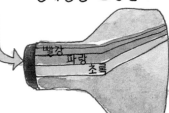

빨강
파랑
초록

4. 전자총이 텔레비전 화면 뒤에 전자를 쏘아 보냅니다.

5. 텔레비전 화면은 인이라는 화학 물질로 이루어진 점 수천 개로 덮여 있습니다.

6. 전자가 인으로 된 점에 닿으면 그 점이 빛납니다.

7. 인으로 된 점이 화면에 모양을 만듭니다.

화면 보이죠?

할아버지께서 진공 청소기 스위치를 다시 켜셨어요.
스위치 안에서는 접촉자가 다시 닿아서 전기가 흘렀습니다.
프리즐 선생님께서 외치셨어요.
"자 여러분, 이제 학교로 돌아갈 시간이에요."
우리는 스위치를 빠져 나와 전깃줄을 통해 바깥 전깃줄로
나왔답니다. 그리고 쭉 길을 따라 내려가
학교 벽 속에 있는 전깃줄 속으로 쏙~

난 견학이
진짜진짜 좋아!

난 견학 끝나고
돌아가는 게
더 좋은데.

우리는 콘센트 구멍으로 나와 바닥 닦는 기계에 달린 전깃줄 속으로
또 들어갔어요. 이러다가 우린 영영 못 나오는 게 아닐까요?
이런 걱정을 하는 순간, 우리는 원래 크기로 돌아왔어요.
어찌 된 거냐고요?
다행히 전깃줄 껍데기가 벗겨져 있어 우린 그 구멍으로 나올 수 있었죠.

42

다시 원래 크기로 돌아오자마자
프리즐 선생님께선 우리를 교실로 데려가셨어요.

여느 때처럼 이제 우리 반에 있는 모든 것이
다시 정상으로 돌아왔어요.
아차, 프리즐 선생님만 빼고요!

⑤ 자석이 돌면서 전기가 생깁니다.

엉뚱한 생각
전등 꽃 - 카를로스

선생님 옷 좀 봐!

으……
불길한 예감이 들어!

숙제 - 내일까지 꼭!

다음 전기 기구는 어떻게 작동할까요?

-정답을 맞혀 보세요-

다리미

다리미가 열을
내려면 _____가(이) 필요합니다.

가. 새끼 고양이   나. 전열선
다. 털 양말

전기 드릴

전기 드릴 맨 끝에 달려 있는 날을
돌리려면 _____가(이) 필요합니다.

가. 전동기   나. 고무줄
다. 고무 오리 인형

헤어드라이어

헤어드라이어는 열을 냅니다.
또 바람까지 함께 내보내기 위해
날개가 돌아가는 부분도 있습니다.
따라서 헤어드라이어에는
_____와(과) _____가(이)
필요합니다.

가. 전열선과 오이지

나. 오이지와 전동기

다. 전열선과 전동기

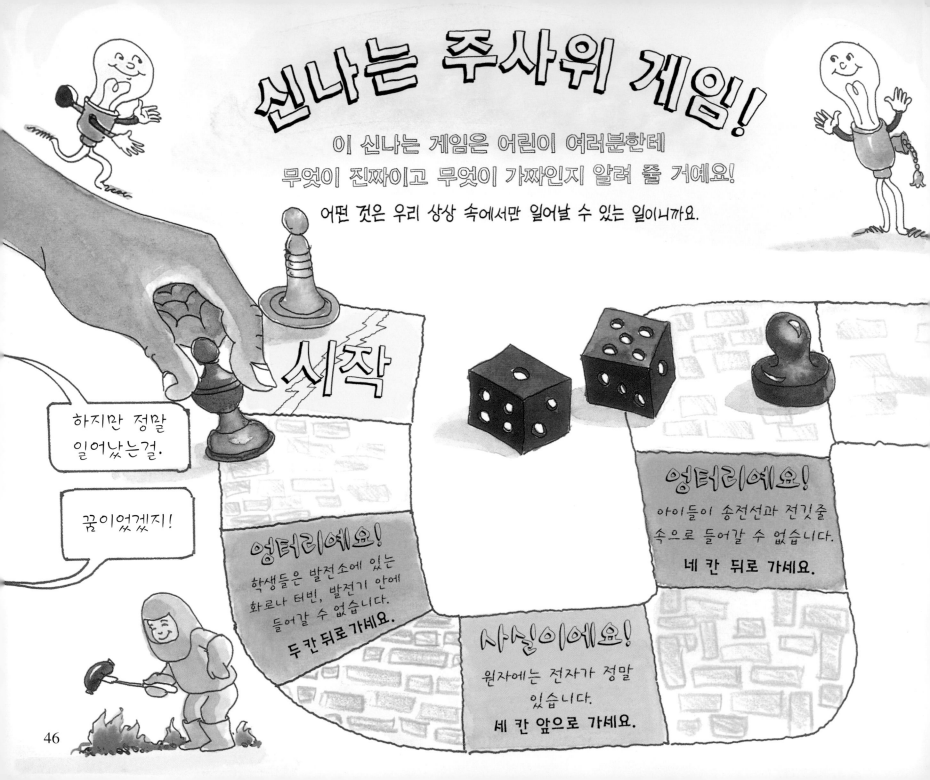